Babi Newydd Teulu Meysydd

Susan Bagnall

Lluniau gan Tommaso Levente Tani

Addasiad Myrddin ap Dafydd

Cyhoeddwyd yn Saesneg yn wreiddiol gan
British Association for Adoption & Fostering (BAAF)
Saffron House
6–10 Kirby Street
London EC1N 8TS
www.baaf.org.uk
Rhif elusen cofrestredig 275689
Teitl y gyfrol Saesneg: *The Teazles' Baby Bunny*

Testun Cymraeg: Myrddin ap Dafydd/Gwasg Carreg Gwalch

Dyluniwyd gan Eleri Wynne Owen, Y Stiwdio, 21 Stryd Penlan, Pwllheli

Argraffiad cyntaf: 2013

Rhif rhyngwladol: 978-1-84527-461-0

Mae'r cyhoeddwyr yn cydnabod cefnogaeth ariannol
Cyngor Llyfrau Cymru

Cyhoeddwyd gan Wasg Carreg Gwalch,
12 Iard yr Orsaf, Llanrwst, Conwy, LL26 0EH.
Ffôn: 01492 642031 Ffacs: 01492 641502
e-bost: llyfrau@carreg-gwalch.com
lle ar y we: www.carreg-gwalch.com

Yr Awdur

Mae Susan Bagnall yn byw yn yr Almaen gyda'i gŵr a'i merch. Mae wedi'i chymhwyso yn therapydd iaith a lleferydd ac yn gweithio fel arweinydd grwp mewn ysgol feithrin ar hyn o bryd.

Yr Arlunydd

Daw Tommaso Levente Tani (www.leventetani.com) o Toscana yn yr Eidal ac mae'n arlunydd llyfrau sy'n byw ac yn gweithio bellach yn Llundain.

Cymdeithas Mabwysiadu a Maethu

Elusen sy'n cynorthwyo teuluoedd i ddygymod ag anawsterau a sialensau mabwysiadu a maethu plant yw hon. Ymysg llawer o weithgareddau eraill, mae'n cyhoeddi llyfrau a thaflenni sy'n creu ymwybyddiaeth ac yn delio â gwahanol agweddau ar y wefan www.baaf.org.uk

I Alice, merch yr awdur gwreiddiol

ac i Dafydd Llewelyn ac Ela Grug

sydd wedi ysgogi'r addasiad hwn

Mae Siôn a Siân Meysydd yn byw dan yr onnen

Mewn twll wrth ei gwreiddiau yn Rhosydd Lôn Felen,

Mae bywyd yn hyfryd, ond cwmwl bach sydd:

Dim bwni bach bywiog i lenwi pob dydd.

Ond Broch Mochyn Daear, a'i galon garedig,

A gofiodd amdanynt; aeth atynt a chynnig:

'Mae un babi bach angen cartref rhag stormydd –

Lle gwell na'r fan hon gyda chi yn y Meysydd?'

Wel, dawnsio'n y gegin

wnaeth Siôn a Siân Meysydd –

Mae bachgen neu eneth

yn destun llawenydd.

Ar ffôn ac ar lein y bu'r ddau yn cyhoeddi

Bod babi ar ddod, 'A dewch draw i gael parti!'

A phob un o'u ffrindiau yn curo eu cefnau

Wrth baratoi'r cartref o dan y canghennau.

Cynlluniwyd y pram ag olwynion o garreg

A basged o wiail mor gynnes â maneg.

Gwnaed ceffyl o dderw; rhoed mwsog mewn crud

Yn barod i'r un fyddai'n llenwi eu byd.

Mawrth
1 2 3 4 5
6 7 8 9 10
11 12

Bob diwrnod cynyddu a wnâi'r holl deimladau,

'Mor hir yw pob aros', wrth gyfri yr oriau;

Ond toc, daeth yr amser – ac yn ôl fe ddaeth Broch

Â'r bwndel bach bywiog, a chanodd y gloch.

croeso i'r babi newydd

'Dyma eich babi – i'w garu a'i rannu,

A chreu cartref iddo, yn aelod o'ch teulu.'

Rhoi cwtsh mawr i'r babi wnaeth Siôn a Siân Meysydd:

'Mae gen ti rieni, mae gennym ein gilydd!'

Ac ers yr awr honno o dan yr hen onnen

Mae teulu y Meysydd yn gyflawn a llawen.

Sut i ddefnyddio'r llyfr hwn

Mae'r gyfrol hon wedi'i hanelu at blant o ddwy oed i fyny er mwyn iddynt gyfarwyddo gyda'r syniad o fabwysiadu. Mae'n edrych ar drefn y digwyddiadau cyn i'r babi bwni newydd gyrraedd cartref y ddwy gwningen, Siôn a Siân Meysydd.

Mae'r stori syml a'r lluniau clir yn gyflwyniad tyner i drafod y pwnc o fabwysiadu. Mae'n agor y drws ar gyfer sgyrsiau eraill yn y dyfodol oherwydd mae plant mân iawn yn arbennig o hoff o glywed yr un stori dro ar ôl tro. Bydd yn gymorth i unrhyw blentyn mabwysiedig i sylweddoli mor arbennig ydyw a chymaint y mae eu rhieni newydd wedi dyheu amdanynt. Gall wneud plant eraill yn ymwybodol fod mwy nag un ffordd o greu teulu. Gan fod pob plentyn yn hoffi clywed stori yn cael ei darllen iddo, fe ddylent fwynhau'r gyfrol hon.

Mae'r testun wedi'i gyfansoddi ar fydr ac odl, er mwyn ei gwneud hi'n hawdd i blant gofio darnau ohono a'i ailadrodd. Byddant yn cofio trefn y digwyddiadau yn gyflym iawn gan ragfynegi'r hyn sy'n dod nesaf ac yn fuan bydd ganddynt eu sylwadau a'u cwestiynau eu hunain, yn codi'n naturiol wrth glywed ac ailglywed y stori. Isod mae canllawiau – a chanllawiau yn unig – ar gyfer trafod y pynciau gyda'r plant ac er eu bod dan benawdau gwahanol, gellir defnyddio'r rhan fwyaf ohonynt gyda phob plentyn. Bydd gan rieni eu syniadau eu hunain ar gyfer trafod mabwysiadu wrth gwrs, oherwydd nhw yw'r arbenigwyr gan mai nhw sy'n nabod eu plant.

Susan Bagnall a Heidi Argeat, Mawrth 2008

Ar gyfer plant wedi'u mabwysiadu

Tudalennau 4 – 5

Mae'n debyg bod plant sydd wedi'u mabwysiadu yn gwybod y gair 'mabwysiadu', heb sylweddoli beth yw ei ystyr yn union. Efallai eu bod yn medru dweud, 'Dw i wedi cael fy mabwysiadu,' gyda chyn lleied o ddealltwriaeth o'r geiriau â phetaent yn dweud, 'Dw i'n fachgen' ac yn sicr yn llai pendant na phe baent yn dweud 'Dwi isio bwyd'. Byddant yn chwilfrydig pam fod y ddwy gwningen hapus yn hiraethu am fabi cwningen. Dyma gyfle i edrych ar faes anifeiliaid bychain cyn mentro i fyd mabwysiadu.

Beth yw'r enw ar ddafad fach? – Oen
Beth yw'r enw ar fuwch fach? – Llo
Beth yw'r enw ar fochyn bach? – Porchell
Beth yw'r enw ar hwyaden fach? – Cyw hwyaden
Beth yw'r enw ar geffyl bach? – Ebol
Beth yw'r enw ar gi bach? – Cenau
Beth yw'r enw ar gwningen fach? – Lefren

Beth am bobl bach? Oes ganddyn nhw enwau, fel ti? Ydyn ni'n adnabod unrhyw gyplau nad oes ganddyn nhw blant? Wyt ti'n meddwl bod pawb eisiau babi bach?

Tudalennau 6 – 7

Ar y dechrau, mae'n ddigon dweud bod Broch Mochyn Daear yn greadur caredig sy'n medru dod o hyd i fabanod i rieni nad oes ganddyn nhw blant. Yn nes ymlaen bydd plant yn holi o ble daw'r babanod hyn, ac erbyn eu bod nhw'n bedair oed, byddant yn gofyn 'Ble mae'u mam nhw?' Nid yw'r babi cwningen y mae cymaint o ddisgwyl amdano yn fwriadol yn fachgen nac yn eneth, fel nad yw plant sydd wedi'u mabwysiadu yn amau y byddai'u rhieni yn ffafrio un rhyw yn fwy na'r llall.

Tybed beth ofynnodd y cwningod amdano gan Broch Mochyn Daear? Oedden nhw'n falch o'i glywed yn dweud wrthyn nhw fod ganddo fabi ar eu cyfer? Wyt ti'n meddwl bod Broch Mochyn Daear wedi gwneud yn siŵr mai Siôn a Siân Meysydd fyddai'r teulu gorau yn y byd ar gyfer y babi bwni?

Yn ddiweddarach

Dydi pob cwningen ddim yn medru edrych ar ôl eu rhai bach ac nid yw'n bosib i bob mam a thad edrych ar ôl eu babanod. Bryd hynny, mae pobl garedig fel Broch Mochyn Daear yn dod o hyd i rieni newydd iddyn nhw. Fedri di gofio'r person caredig wnaeth ddod o hyd i ni ar dy gyfer di?

Tudalennau 8 – 13

Mae'r babi bwni yn bwysig iawn. Mae'n rhaid i Siôn a Siân Meysydd wneud pob math o baratoadau i wneud yn siŵr y bydd babi bwni yn gysurus, yn ddiogel ac yn hapus. Mae'n nhw'n awyddus iawn i rannu eu llawenydd gyda'u perthnasau a'u cyfeillion.

Beth wnaeth Siôn a Siân Meysydd er mwyn paratoi ar gyfer y babi bwni? Beth wyt ti'n ei feddwl wnaethon ni er mwyn paratoi ar dy gyfer di? Fedri di feddwl am yr holl bethau y mae babi bach eu hangen? Pa rai yw'r teganau gorau gan ferched a bechgyn? Pwy yw dy ffrindiau di a phwy sy'n perthyn i ti? Beth wnaeth Nain/Tad-cu/Modryb ei roi'n anrheg i ti?

Tudalennau 14 – 17

Bydd gweld Broch Mochyn Daear yn dod â babi bwni i'w gartref newydd yn sicr o ysgogi cwestiynau gan blant wedi'u mabwysiadu ynglŷn â sut y gwnaethon hwythau gyrraedd eu cartrefi. Cwestiwn un plentyn tair oed oedd: 'Os na wnes i ddod allan o dy fol di, sut wnes i ddod i mewn i'r tŷ?' Mae'n bosib y bydd gan blant a gafodd eu mabwysiadu yn hwyrach na'u babandod rywfaint o atgofion am bobl a lleoedd 'blaenorol'. Mae'n bwysig adrodd yr hanes yn union fel yr oedd, gan mai dyma sylfeini stori bywydau plant sydd wedi'u mabwysiadu.

'Fe ddaethom ni draw i dy gartref plant di (yr ysbyty lle cest ti dy eni) ac wedyn dy lapio mewn carthen gynnes a dy roi yn un o'r cadeiriau arbennig rheiny sy'n cael eu defnyddio i gario babanod mewn ceir, ac yna gyrru yr holl ffordd adref ...'

'Mi wnaethon ni hedfan mewn awyren gyda ti er mwyn dy gael gartref – mi roeddet ti'n gwenu ar bob un o'r teithwyr eraill ac yna mi wnest ti syrthio i gysgu ...'

'Dod i dy adnabod di oedd y cam cyntaf, ac yna pan oeddet ti'n barod, aethon ni draw i dy godi di, dy holl deganau a dy hoff drugareddau a dod â ti adref ...'

Fydd babi bwni yn cofio Broch Mochyn Daear? Wyt ti'n cofio'r stori sut y doist tithau aton ninnau? Pa mor ifanc wyt ti'n meddwl ydi babi bwni? Faint oedd dy oed di pan wnaethon ni dy fabwysiadu di?

Tudalennau 18 – 19

Stori hapus yw hon ac mae'n bwysig ei bod yn gorffen ar nodyn cadarnhaol. Mae diwrnod cyrraedd y cartref fel ail ben-blwydd i blant wedi'u mabwysiadu. Gall y diwrnod y cânt eu mabwysiadu'n swyddogol fod yn drydydd pen-blwydd hyd yn oed! Achlysur i'w ddathlu yw mabwysiadu.

A fydd babi bwni yn lwcus ac yn cael diwrnod mabwysiadu yn ogystal â diwrnod pen-blwydd? Pryd mae dy ben-blwydd di? Beth gawn ni ei wneud ar dy ddiwrnod mabwysiadu nesaf? Wyt ti'n meddwl y bydd babi bwni a Siôn a Siân Meysydd yn gwneud teulu da?

Ar gyfer plant nad ydynt wedi'u mabwysiadu

Tudalennau 4 – 5

Erbyn eu bod yn ddwy oed, mae plant yn magu chwilfrydedd ynglŷn â theuluoedd. Maent eisiau gwybod pwy yw Mam a Dad; gallant ddangos pryder wrth weld plentyn arall heb riant a gofyn cwestiynau fel, 'Pryd mae mam Elen yn dod yn ôl?' os ydi Elen wedi cael ei gadael yn y tŷ tra bod ei mam wedi mynd i siopa.

Gall clywed stori am gwningod sydd eisiau babi er mwyn bod yn hapus godi sgwrs am deuluoedd anifeiliaid a phobl.

Wyt ti'n meddwl bod pob anifail eisiau plant?

Beth yw enwau anifeiliaid bach?

Beth sy'n digwydd os nad oes ganddynt anifeiliaid bach?

Beth wyt ti'n ei feddwl y bydd y cwningod yn ei wneud?

Tudalennau 6 – 7

Ni fydd gan blant ifanc iawn fawr o ddiddordeb mewn gwybod pwy yw Broch Mochyn Daear na sut y mae'n llwyddo i ganfod babi i'r cwningod. Bydd clywed bod babi bwni ar ei ffordd yn ddigon i'w bodloni. Yn ddiweddarach byddant yn dechrau cysylltu pethau â'i gilydd – wrth ddysgu am roi genedigaeth a pherthyn i deulu.

Ydi Broch Mochyn Daear yn garedig wrth addo babi bwni i'r cwningod? A fydd y cwningod yn fam a thad da? Beth mae mamau a thadau yn ei wneud?

Yn ddiweddarach:
Nid oedd mam naturiol babi bwni yn medru edrych ar ei ôl, felly daeth Broch Mochyn Daear o hyd i gwningod Meysydd. Wyt ti'n meddwl y bydd cwningod Meysydd yn dda am edrych ar ôl babi bwni?

Tudalennau 8 – 13

Mae pob plentyn angen gwybod pa mor bwysig ydi ef neu hi. Mae plant mân wrth eu boddau'n clywed hanes eu geni, beth ddywedodd pob aelod o'r teulu wrth eu croesawu, ac maent yn debygol o gredu bod y byd yn troi o'u cwmpas nhw.

Beth mae'r cwningod yn eu wneud i baratoi ar gyfer babi bwni? Beth wyt ti'n ei feddwl wnaethom ni i baratoi ar dy gyfer di? Fe ddywedodd Taid/Tad-cu mai ti fyddai'r babi gorau a gawson ni erioed – ac roedd yn dweud y gwir!

Tudalennau 14 – 17

Mae plant nad ydynt wedi'u mabwysiadu fel arfer yn gwybod pryd, lle a sut y cawsant eu geni. Dyma gyfle i ailadrodd stori'r enedigaeth ac i wneud yn siŵr eu bod yn deall ac yn cofio. Os ydynt yn adnabod plant sydd wedi'u mabwysiadu, gall fod yn gyfle i esbonio beth mae hynny yn ei olygu'n llawn.

Roedd babi bwni angen teulu ac roedd Siôn a Siân Meysydd yn awyddus i fabwysiadu babi – wyt ti'n gwybod am rywun sydd wedi cael ei fabwysiadu? Ffordd arall o gael mynediad i deulu ydi mabwysiadu. Fedri di gofio stori dy enedigaeth di pan ddoist ti i mewn i'n teulu ni?

Tudalennau 18 – 19

Dylai plant deimlo'n hapus dros babi bwni, ei fod wedi cael ei deulu ei hun. Ond ni ddylent deimlo chwaith bod mabwysiadu yn ffordd well o gael babi.

Dyna lwcus yw babi bwni fod ganddo ddiwrnod mabwysiadu yntê?

Pa ddiwrnodau arbennig sydd gennym yn ein teulu ni?

Wyt ti'n meddwl y bydd babi bwni a Siôn a Siân Meysydd yn tyfu i fod yn deulu da?

I roi'r cyfle gorau i'ch plant.... rhowch y Gymraeg - anrheg am byth.

twfcymru.com • 0845 605 1551 • post@twfcymru.com •  TwfCymru •  @TwfCymru

mudiad meithrin

Nod Mudiad Meithrin yw rhoi cyfle i bob plentyn ifanc yng Nghymru fanteisio ar wasanaethau a phrofiadau blynyddoedd cynnar trwy gyfrwng y Gymraeg.

CYLCH TI A FI

Ydych chi eisiau cwrdd â rhieni/gwarchodwyr eraill?

'Cyfle gwych i ddianc o'r tŷ i gael sgwrs a hwyl gydag oedolion a phlant eraill'
yw barn un rhiant am y cylch Ti a Fi lleol.

Mae'r cylch Ti a Fi yn gyfle gwych i rieni/gwarchodwyr a'u plant gwrdd unwaith yr wythnos mewn awyrgylch anffurfiol Gymreig.

Cewch ddod â'ch babi bach a'ch plant hyd at oed ysgol i'r cylch Ti a Fi i wneud ffrindiau bach newydd. Caiff y plant gyfle i ddatblygu trwy chwarae, darllen stori a chanu, peintio a gwneud crefftau – a chewch chi gyfle i ymlacio a sgwrsio dros baned gydag oedolion eraill.

CYLCH MEITHRIN

Y cam naturiol nesaf yw rhoi'r cyfle i'ch plentyn fynd i'r cylch meithrin lleol. Gall plant o ddwy oed hyd at oed ysgol fynd i'r cylch meithrin i fwynhau dysgu, chwarae a datblygu yng nghwmni plant eraill o'r un ardal.

'Dwi wrth fy modd pan ddaw Ifan adre o'r cylch meithrin yn llawn storïau doniol ac yn canu caneuon newydd mae o wedi'u dysgu yn y cylch. Mae'r profiadau mae'n o'n eu cael yno yn ardderchog, ac yn gychwyn gwych i'w addysg.'
dyfyniad gan riant o ogledd Cymru.

Mae gan Mudiad Meithrin dros 40 mlynedd o brofiad mewn darparu gofal ac addysg blynyddoedd cynnar o ansawdd rhagorol. Bellach mae dros 550 o gylchoedd meithrin yng Nghymru a thros 1,500 o staff cymwys a phrofiadol yn gweithio ynddynt – felly gallwch fod yn dawel eich meddwl y bydd eich plentyn mewn dwylo diogel.

www.meithrin.co.uk

0800 11 22 33

Cymdeithas Mabwysiadu a Maethu
Gwledydd Prydain

- Dyma'r gymdeithas fwyaf blaenllaw yng ngwledydd Prydain ar gyfer y rheiny sy'n ymwneud â mabwysiadu, maethu a gofal plant
- Mae'n gyhoeddwr sylweddol ac yn darparu hyfforddiant
- Mae cronfa eang o wybodaeth a chyngor ar gyfer gweithwyr proffesiynol, gofalwyr a'r cyhoedd
- Mae'n ymgyrchydd dros y safonau uchaf a pholisïau a gwasanaethau sy'n rhoi'r plant yn gyntaf
- Hi yw'r elusen amlycaf yng ngwledydd Prydain sy'n gweithio gyda phlant sydd wedi'u gwahanu oddi wrth eu teuluoedd naturiol.

Mae dwy swyddfa yng Nghymru:

BAAF Cymru (Caerdydd)
7 Cleeve House
Lambourne Crescent
CAERDYDD
CF14 5GP

☎ 02920 761155
cardiff@baaf.org.uk

BAAF Cymru (Y Rhyl)
W2 Canolfan Busnes Morfa Clwyd
84 Ffordd Marsh
Y RHYL
LL18 2AF

☎ 01745 336336
rhyl@baaf.org.uk